NYC-CSD#6
TITLE III
Multicultural Education Department

Esta obra ha sido publicada con la ayuda de la Dirección General del Libro, Archivos y Bibliotecas del Ministerio de Educación, Cultura y Deporte.

D1207789

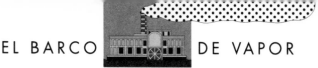

EL BARCO DE VAPOR

El oso que leía niños

Gonzalo Moure

Ilustraciones de Fernando Martín Godoy

sm Joaquín Turina, 39 28044 Madrid

Primera edición: octubre 2000
Cuarta edición: septiembre 2002

Dirección editorial: María Jesús Gil Iglesias
Colección dirigida por Marinella Terzi
Ilustraciones: Fernando Martín Godoy

© Gonzalo Moure, 2000
© Ediciones SM, 2000
   Joaquín Turina, 39 - 28044 Madrid

Comercializa: CESMA, SA - Aguacate, 43 - 28044 Madrid

ISBN: 84-348-7343-5
Depósito legal: M-35769-2002
Preimpresión: Grafilia, SL
Impreso en España/*Printed in Spain*
Orymu, SA - Ruiz de Alda, 1 - Pinto (Madrid)

No está permitida la reproducción total o parcial de este libro, ni
su tratamiento informático, ni la transmisión de ninguna forma o
por cualquier medio, ya sea electrónico, mecánico, por fotocopia,
por registro u otros métodos, sin el permiso previo y por escrito
de los titulares del *copyright*.

Mi madre me decía:
"Un libro es como un espejo. Miras las
páginas y están lisas. Pero al otro lado hay
bosques, castillos, selvas, ríos, montañas... Y en
esos sitios hay niños, y animales y gente que
hace cosas como jugar, soñar, reír, comer...".
Le dedico este cuento a mi madre, que leyó
libros hasta el último día de su vida, y que
creía que nadie es malo del todo, ni tampoco
bueno del todo. Lo primero, decía, sería muy
triste. Lo segundo, muy aburrido.

1 Ñum-ñum era un osezno

que vivía al otro lado de la página. O sea, que era un osito de cuento.

Ñum-ñum nació en una cueva que hay en la falda del Pico Escalera, cerca de Somiedo. Somiedo está en Asturias, y en los buenos tiempos estaba lleno de osos. Ahora sólo quedan algunos, muy pocos.

Ñum-ñum se llamaba así porque desde su primer mes de vida, cuando comía, hacía "ñum-ñum" y, cuando jugaba, hacía "ñum-ñum". Y cuando dormía, también hacía "ñum-ñum" mientras se chupaba un dedo. Así que sus padres y sus hermanos lo llamaron Ñum-ñum.

Los primeros meses de Ñum-ñum fueron muy felices. Jugaba con sus hermanos cerca de la boca de la cueva, rodando por las cuestas de hierba, volviendo a subir… Su padre, que era alto como una monta-

ña, tan alto que a veces Ñum-ñum creía que tenía nubes en la cabeza, los acompañaba por el bosque y la falda de la montaña, para que todos pudieran comer. Comían bayas, algunas hojas y raíces… A Ñum-ñum le gustaba descubrir, cada vez, una comida nueva, deliciosa. Como el día que encontraron un panal de miel.

Su padre y su madre espantaban las abejas, y cuando ya no eran peligrosas para los oseznos, sacaban la miel con las pezuñas y la chupaban, enseñándoles a sus hijos a hacer lo mismo. A Ñum-ñum, la miel le pareció lo más bueno del mundo.

Y cuando se hacía de noche, entraban todos a dormir en la cueva. Eso era lo que más le gustaba a Ñum-ñum. Se abrazaban los cinco en un montón, y se dormían dulcemente. Lo último que veía Ñum-ñum era el brillo de los ojos de su madre, a punto de cerrarse. Luego, gruñidos suaves, ronquidos, silencio... y, al apagarse todo, sueños.

Ñum-ñum siempre fue un soñador. Soñaba tanto de noche que, a veces, despertarse le daba pena. Soñaba con hierba blanda, con nieve, con miel y bayas dulces, con paseos, con ríos en los que pescaba salmones, con juegos interminables y noches calentitas en la cueva.

La vida del oso grande como una montaña y de su familia, en la que Ñum-ñum era el pequeño, era una vida muy feliz.

2 HASTA QUE UN DÍA,

los tres oseznos estaban jugando en un claro, no muy cerca de la cueva. El padre, el oso alto como una montaña, estaba fuera buscando comida, y la madre se había sentado en la hierba, vigilando a sus cachorros.

Un momento antes de que se oyera el disparo, la madre se puso de pie y olfateó hacia el bosque. Y sonó el disparo. Ñum-ñum no sabía lo que era un disparo. Lo que oyó era como un golpe, pero mucho más fuerte. El sonido rebotó en las montañas de enfrente, y todo el valle retumbó.

La madre de Ñum-ñum puso las orejas de punta y corrió hacia la cueva, empujando a sus hijos y lanzando un rugido de alarma. Pero era tarde.

Ñum-ñum no había visto nunca a un hombre. Los había olido, eso sí. Un olor dulzón, nada agradable. Un olor que se mezclaba con otros olores fuertes, formando una especie de maraña de olores que indicaba peligro. Cada vez que habían captado en el bosque aquella maraña de olores, la madre de Ñum-ñum había hecho que todos salieran huyendo, de vuelta hacia la cueva.

Pero esta vez no era posible. En la puerta de la cueva había dos hombres. Altos, flacos, con cosas encima de la piel y de la cabeza, y con algo en la mano. Y a sus pies había perros. Ñum-ñum también había olido a los perros, y hasta los había visto de lejos, corriendo por el valle. Perro significaba peligro; eso se lo decía la sangre, el instinto. Y los perros, junto a los hombres, significaban mucho más peligro todavía.

La madre de Ñum-ñum gruñó, echó las orejas atrás y salió huyendo hacia lo más espeso del bosque, intentando que sus oseznos no se quedaran atrás. Pero los hombres, gritando, salieron corriendo también, detrás de ella y de los hermanos de Ñum-

ñum, con los perros ladrando, dando alaridos espantosos.

Ñum-ñum se quedó paralizado por el miedo. Sus hermanos y su madre habían corrido hacia las peñas y ya no los veía. ¿Qué podía hacer?

¡Aquellos hombres y aquellos perros iban a matar a su madre y sus hermanos! Ñum-ñum sabía interpretar muy bien los sucesos del bosque. Un lobo corre tras de su presa, y un águila también vuela detrás de la víctima, hasta que se arroja sobre ella, con las garras abiertas, y la atrapa. Es la ley de la montaña. Por eso, estaba seguro de que los hombres y los perros, que corrían detrás de su madre y sus hermanos, los iban a matar.

Ñum-ñum intentó esconderse en el interior de la cueva. Pero no tuvo tiempo. Cuando quiso darse cuenta, otro hombre, al que ni siquiera había visto porque estaba escondido detrás de una roca, se abalanzó sobre él con una red en las manos.

Ñum-ñum tampoco sabía lo que era una red. Aunque no por no saberlo ésta dejaba de existir. La red le cayó encima, y no podía moverse por más que lo intentaba. El hombre tiró de la red, y Ñum-ñum se sintió todavía más atrapado por aquello.

El hombre se alejó un poco. Ñum-ñum trataba de moverse, pero no podía. El hombre emitía sonidos. Algunos de aquellos sonidos daban miedo. Otros parecían más suaves. Pero no sabía lo que querían decir ni unos ni otros.

El olor del hombre era muy fuerte. Se sentó en el suelo y miró a Ñum-ñum. El osezno miraba los ojos del hombre, y en ellos veía una mezcla de miedo y crueldad. ¿Por qué le hacía eso? El águila, el lobo y el perro matan para comer. También el oso, a veces. Pero Ñum-ñum no había matado nunca, y sólo había comido algo de carne de pequeños animales muertos, restos de lo que dejaban el águila o el lobo. ¿Y el hombre? Seguramente, también mataba para comer.

¡Se lo iban a comer! ¡Eso era! Tuvo entonces tanto miedo, que intentó zafarse, sacarse de encima la red, con todas sus fuerzas. En un relámpago, vio cómo el hombre levantaba lo que llevaba en la mano y le daba un golpe tremendo en la cabeza.

Ñum-ñum no perdió del todo el sentido, pero se quedó atontado. ¡Le dolía! Salvo en los flojos mordiscos de los juegos, aún no había probado nunca el dolor. Era algo agudo y grave al mismo tiempo, calor... algo insoportable. ¿Por qué le hacía eso el hombre?

Un rato después volvieron los otros hombres y los perros que habían salido detrás de su madre. Los hombres daban voces y olían a excitación. Apartaron a los perros y se acercaron, todos, a Ñum-ñum. Éste se encogía en la red, temiendo que le fueran a hacer más daño en cualquier momento.

Pero no se lo hicieron.

3 CARGARON A ÑUM-ÑUM

en una cosa ruidosa que se movía, y se lo llevaron.

Todo lo que pasó después, Ñum-ñum lo vivió como si fuera una pesadilla. Lo llevaban de aquí para allá, lo metían en sitios oscuros y le daban de comer fruta. Pero él no tenía hambre. Sólo dolor y pena.

Ñum-ñum lloraba por él, por su madre, por su padre y por sus hermanos. ¿Dónde estaban? ¿Qué iba a pasar después? ¿Por qué no podía salir de aquel lugar oscuro?

Preguntas y preguntas para las que no tenía respuesta.

Lo que pasó después es que metieron a Ñum-ñum en una jaula, y la jaula en un barco, en la bodega. Allí apenas había luz y olía a podrido. Ñum-ñum pasaba las horas sentado en una caja de madera, dentro de la jaula, con sus propios excrementos, que nadie se ocupaba de limpiar.

Y un día…

Aquella mañana Ñum-ñum tenía la vista perdida, buscando un rayito de luz que entraba en la bodega desde la cubierta del barco. Y, poco a poco, fue viendo una especie de superficie lisa al otro lado de los barrotes.

Era una cosa blanca, plana, en la que… ¿qué era aquello? A Ñum-ñum le parecían insectos, como hormigas. Ñum-ñum no podía saber que la superficie blanca era una página, y que las cosas que parecían hormigas eran letras.

Pero sí que conocía aquello que por fin vio al otro lado de la página:

Un par de ojos enormes, casi tan grandes como alta era la jaula, que le estaban mirando. Lo contemplaban fijamente.

¡Ñum-ñum dio un salto y corrió lo poco que pudo hasta el fondo de la jaula!

Aquellos ojos… eran humanos. Recordaba muy bien los del hombre que lo había cazado y después lo había golpeado. Intentó oler, pero no llegaba hasta él ningún olor, aparte del de siempre, el olor a podrido que había en la bodega del barco.

Y justo entonces se dio cuenta de que aquellos ojos eran, en algo, distintos a los del cazador. ¡Eran ojos de cachorro! Ni siquiera se le había ocurrido que hubiera cachorros de hombre, pero, ahora, ya no le cabía ninguna duda.

Más tranquilo, porque un cachorro no es nunca tan peligroso como el animal adulto, se fue acercando a los barrotes de la jaula para ver más de cerca aquel enorme par de ojos.

Por fin, se agarró a los barrotes.

Ñum-ñum miraba los ojos, y le recordaban la boca de la cueva en la que había nacido. ¡Se podría entrar en ellos!

Miraba los ojos, y cada vez se sentía más dentro de ellos, más y más.

Ñum-ñum sintió un poco de miedo, y estuvo a punto de cerrar sus ojos y escapar de nuevo al fondo de la jaula; pero después de un momento de duda, siguió adelante.

Y, de pronto, empezó a leer en los ojos del cachorro de hombre.

¡Era más bien cachorrita! Al ver sus pensamientos, Ñum-ñum se dio cuenta de que era una niña.

La niña estaba leyendo un cuento... ¡Aquella era su historia! El cuento se llamaba Ñum-ñum.

¡Ñum-ñum era él!

Mientras la niña leía el cuento del osito al que cazaba un hombre en el monte, y cómo lo metían en una jaula y lo llevaban en un barco hacia algún lugar lejano, Ñum-ñum iba leyendo a la niña.

Se llamaba Noemí, le gustaban mucho los animales, y Ñum-ñum vio que quería, cuando ya no fuera cachorra, curar animales. Eso se llamaba ser veterinaria. Noemí estaba muy triste por lo que le pasaba a Ñum-ñum; pero, tal vez para no llorar, se dijo que lo que ocurría en los cuentos no era verdad.

Ñum-ñum, al ver que ella estaba a punto de convencerse de que aquello no había sucedido, no estaba sucediendo, gritó:

—¡Sí! ¡Es verdad!

A Noemí, que estaba leyendo el cuento de Ñum-ñum en la biblioteca de su colegio, le pareció que una voz salía del libro.

Se agachó y acercó la oreja al libro.

En ese momento, la bibliotecaria se acercó a ella, extrañada de verla con la oreja pegada al libro.

—¿Qué haces? –le preguntó– ¿Te duermes?

—¡No! ¡Estoy oyendo el libro!

La bibliotecaria acarició a Noemí en la cabeza y se alejó, feliz. A ella también le gustaba pensar que los libros tenían voz. Que no había más que escuchar...

4 PERO CUANDO ÑUM-ÑUM

IBA A VOLVER A LLAMAR A NOEMÍ,

ella cerró el libro. Y Ñum-ñum vio, desde su jaula, cómo desaparecían los ojos. Donde antes estaba la página con las letras, tampoco había ya nada más que oscuridad.

Ñum-ñum estuvo un buen rato llamando a la niña, pero no pasó nada ni nadie respondió.

Esa noche Ñum-ñum soñó con Noemí. Le gustaba haberla conocido, haber leído en sus ojos y en su pensamiento. Ya no le importaba que fuera una cachorrita de humano.

Al día siguiente, Ñum-ñum se agarró a los barrotes y esperó. Al cabo de un rato vio de nuevo la página. Y detrás de la página... ¡los ojos!

Se puso a leer en los ojos deprisa, feliz de encontrarse otra vez con Noemí. ¡Pero no era Noemí! Esta vez era un cachorro, o sea, un niño. Se llamaba Aitor y estaba con otros niños. Ñum-ñum leyó que Aitor sentía mucha pena, tanta pena por el osito, que estaba a punto de llorar. Pero Ñum-ñum vio que Aitor aún sentía más vergüenza que pena, porque pensaba que los demás niños se iban a burlar de él si lloraba por lo que le pasaba a Ñum-ñum.

En lugar de llorar, Aitor se puso a reír, como si se burlara de Ñum-ñum.

Ñum-ñum se enfadó con Aitor. Pero luego se dio cuenta de que el niño no lo hacía con mala intención.

Por fin, Aitor también cerró el libro, y Ñum-ñum dejó de ver también sus ojos.

Por suerte, el cuento de Ñum-ñum era uno de los que más elegían los niños en las bibliotecas y las librerías. Así, el pequeño oso pudo leer muchos niños, en su jaula, durante la travesía en barco. Sin embargo, no podía evitar sentirse muy triste cada vez que pensaba en el oso alto como una montaña, en su madre, en sus hermanos. Volverlos a ver, eso era lo que más deseaba en el mundo.

Mientras tanto, el barco llegó a su destino, en la lejana, fría y húmeda ciudad de Asqueburgo. Llevaron a Ñum-ñum dentro de la jaula hasta el zoo de la ciudad, y le soltaron en una jaula más grande, en la que incluso había una cueva artificial. Parecía una cueva, pero no era una cueva. Ni olía a cueva, ni a oso, ni a nada.

Después de la primera noche, en la que Ñum-ñum apenas pudo dormir por el miedo que le daban los rugidos de otros animales que no conocía, probó a agarrarse a los barrotes de su nueva jaula y...

¡Unos ojos!

Había llegado a creer, en la cueva artificial, que sólo era posible leer a los niños en el barco, pero ¡allí estaban otra vez la página, las letras y... los ojos!

5 CADA DÍA,

en su jaula del zoo de Asqueburgo, Ñum-
ñum leía un niño, a veces hasta dos. Los
había serios, bromistas,
divertidos, gamberros,
revoltosos... Se leyó un
niño que cada dos mi-
nutos cerraba el libro y
lo volvía a abrir al cabo de
un rato... Fue una lectura de
niño muy ma-
reante para

Ñum-ñum, pero hasta esa lectura era mejor que la tristeza y la soledad.

Hubo una vez una niña, llamada Andrea, que se dio cuenta de que Ñum-ñum estaba leyendo en sus ojos.

—¡Eh, hola!

—¡Hola!

Estuvieron hablando toda la tarde, y luego por la noche otra vez. De vez en cuando, en los días siguientes, Andrea abría el cuento de Ñum-ñum y charlaban. Era el gran secreto de Andrea, y ella le decía a Ñum-ñum que no se lo contaría nunca a nadie.

—Primero –decía Andrea– porque no se lo creerían, y segundo, porque prefiero saberlo sólo yo.

Ñum-ñum, que no tenía ni idea de lo grande que es el mundo, le preguntó si sabía lo que había pasado con el oso grande como una montaña, con su madre y con sus hermanos. Pero la niña vivía en una ciudad en la que no había bosques ni osos, y no sabía nada.

—Además, tú eres un oso de cuento, y lo que te pasa no es verdad.

Ñum-ñum se enfadó tanto con Andrea por decir aquello, que no volvió a leer en sus ojos nunca más.

Siguió leyendo otros niños y, poco a poco, viendo en sus pensamientos los pueblos y las ciudades en las que vivían, tan distintos unos de otros, se fue haciendo una idea del mundo.

6   TODO CAMBIÓ

el día que Ñum-ñum leyó a Sindo.

Sindo era un niño al
que no le gustaba tan-
to leer libros como a
Ñum-ñum leer niños,
porque vivía en la monta-
ña, cerca de un bosque
que se parecía al
que Ñum-ñum
conocía tan
bien, en el

que había nacido y había vivido los primeros meses de su vida.

A Ñum-ñum le gustó mucho empezar a leer a Sindo, porque el niño tenía un montón de recuerdos del bosque, de los montes, del río… Eran sus recuerdos favoritos, y mientras leía el cuento de Ñum-ñum, parecía que estuviera allí mismo.

Al día siguiente, Sindo volvió a abrir el libro de Ñum-ñum, y éste se puso a leer a Sindo con ganas.

Aún no había visto en los ojos de Sindo nada acerca de su padre, así que se alegró mucho cuando por fin apareció en los recuerdos del niño. Se llamaba Gumer. Venía del monte, de trabajar.

Gumer se agachó en el camino y abrió los brazos para que Sindo corriera y le diera un abrazo.

¡Qué envidia! Ñum-ñum lloró de envidia sana, en su jaula, viendo cómo Sindo y su padre se abrazaban. ¡Echaba tanto de menos al suyo, al oso grande como una montaña!

Recordó con más nostalgia que nunca cómo jugaba con él, con qué paciencia le enseñaba a escoger las mejores raíces y las mejores bayas, a no comerse las que tenían bichos u hongos… Incluso recordaba su olor, que era fuerte, seco y profundo a la vez. Él, en aquel entonces, soñaba con ser como el oso grande como una montaña, en oler como él, en saber tanto de las bayas y las raíces del bosque, en ser capaz de ahuyentar a las abejas y de aguantar sus picotazos sin quejarse.

Pero aquel día espantoso llegaron los cazadores, se escuchó el disparo, todos salieron corriendo, y apareció delante de la cueva el hombre con la red.

¡El cazador con la red! Ñum-ñum se fijó en el padre de Sindo... ¡Aquella cara! ¡Sus manos...!

Oler. Ñum-ñum hizo un esfuerzo y leyó con más intensidad en los ojos de Sindo. La vista puede engañar a un oso, y todos los hombres se parecen entre sí, pero el olfato nunca engaña a un oso. Se metió de lleno en la mente de Sindo, sintió el abrazo de su padre... y olió, olfateó como él mismo olfateaba de cachorro a su propio padre.

Y al hacerlo, no le cupo ninguna duda. Aquel hombre que abrazaba a Sindo, Gumer...

¡Era el cazador que lo había atrapado con su horrible red!

Ñum-ñum cerró los ojos y corrió al fondo de su cueva artificial, en el zoo de Asqueburgo, como si el hombre horrible, Gumer, pudiera verlo a través de los ojos de su hijo y pudiera hacerle aún más daño del que le había hecho.

¡El padre de Sindo!

Ñum-ñum se dijo que el niño no debía, no podía saber nada de lo que hacía su padre. Era imposible, porque Sindo quería a su padre tanto como Ñum-ñum quería al suyo.

Volvió a la puerta de la cueva, y allí estaban los ojos de Sindo.

El niño leía el cuento de Ñum-ñum despacio, un poco distraído. Su pensamiento se iba al bosque, a la escuela, a los juegos, a su padre, volvía a Ñum-ñum y a lo que estaba leyendo… No paraba quieto.

Ñum-ñum se acordó de Andrea, la niña con la que había hablado tanto; incluso de Noemí, que había oído su voz llamándola desde el interior del libro. Tenía que hablar con Sindo.

Se agarró a los barrotes de la jaula y gritó:

—¡Sindo! ¡SINDOOOOOO!

Ñum-ñum sabía que si no lo lograba a la primera, tenía que insistir.

—¡¡¡Sin… doooooo!!!

Y, al final, lo consiguió.

7   Sindo no podía creerlo.

Estaba leyendo un cuento que se llamaba Ñum-ñum, cuando en el silencio de su habitación le pareció escuchar una voz gritando su nombre. Se levantó de la mesa, se asomó a la ventana, la abrió y… Nada.

Volvió a la mesa, abrió el libro, y otra vez:

—¡Sindoooooo!

—¿Mamá?

Abrió la puerta y miró por el pasillo. Se escuchaban los ruidos de siempre, pero nadie le llamaba.

—¿Mamá?

—¿Qué?

—No. Nada.

Se encerró de nuevo en el cuarto, y esperó.

Al cabo de un rato, encogiéndose de hombros, abrió el cuento y…

—¡¡¡Sin… dooooooo!!!

En ese momento se dio cuenta de que la voz ¡venía del libro!

Lo había abierto por la página en la que Ñum-ñum estaba en su jaula del zoo de Asqueburgo, agarrado a los barrotes. Tenía una cara tan triste…

No podía ser, claro que no. Los personajes de los cuentos no hablan.

¿O sí?

—¿Hay alguien ahí? –preguntó, sintiéndose un poco tonto por preguntarle cosas a un libro.

—¡Sí! ¡Estoy aquí!

—¿Dónde?

—¡En el libro! ¡Soy yo, Ñum-ñum!

—¿Que eres tú? ¡Eso es imposible!

Pero al final tuvo que reconocer que no era tan imposible, porque lo oía perfectamente. No era cosa de hacer lo mismo que los mayores, con sus irritantes "sí, claro", esa frase que solía querer decir "ni te oigo".

Ñum-ñum le empezó a contar su propia historia a Sindo.

Sindo lo interrumpió:

—Ya lo sé. ¡Estoy leyendo tu libro!

—Pero es que es de verdad.

—¿De verdad? Eso, no. ¡Es un cuento!

Ñum-ñum se enfadó. ¡Sindo decía lo mismo que Andrea! Pero esta vez no podía enfadarse y cerrar los ojos, ni esconderse en el fondo de la cueva.

—Cree lo que quieras, pero lo que digo es la verdad. Y eso no es lo peor.

Sindo le preguntó qué era lo peor.

—Tu padre es el hombre que me cazó, con una red.

—¡Eso no es verdad!

—Sí que lo es.

Sindo estaba a punto de gritar, pero le pareció que era ridículo discutir con el osito de un cuento. Cerró el libro de Ñum-ñum y lo tiró, con rabia, debajo de la cama.

"¡No es verdad! ¡Mi padre no puede haber hecho algo así!"

Sindo se tumbó en la cama, nervioso, sin saber qué hacer. Debió de pasar así una hora entera.

Al final, se agachó y sacó el libro de debajo de la cama. Pero no lo abrió. No se atrevía.

Estuvo dando vueltas por la habitación, agitando el libro. Le venían ideas como quemar el libro en la cocina de leña, romperlo en pedacitos, tirárselo al cerdo para que se lo comiera...

Pero, por fin, se fue con él en la mano a la cocina, donde su madre estaba preparando la cena.

—Mamá...

—Mmm...

—¿Cazó papá un osito en las cuevas?

Sindo sabía que su padre era cazador, y algunas veces había salido con él al monte. Con él y la escopeta. Había visto cómo cazaba perdices, y una vez había tirado a un jabalí, desde lejos, porque estaban destrozando la huerta, noche tras noche. Pero ¡cazar un osezno...!

—¿Verdad que no, mamá? ¿Verdad que papá no ha cazado un osito y se lo ha vendido a unos traficantes, para un zoo...?

Ella se quedó mirando a Sindo sin saber qué decirle. Se mordía un labio. Al final, le dijo:

—Será mejor que esperes a que venga papá.

No tardó mucho. Sindo esperó sentado en la cocina, con el cuento de Ñum-ñum cerrado sobre la mesa.

Por fin, se oyó el ruido de la puerta y el padre de Sindo entró en la cocina. Saludó, pero enseguida se dio cuenta de que pasaba algo raro.

—¿Ha ocurrido algo?

—No, es que Sindo quiere preguntarte algo.

Gumer se sentó delante de la mesa.

—¿Qué quieres?

Estaba muy serio.

—Papá, ¿es verdad que...?

8   GUMER SE DEFENDIÓ.

Que no, que no… que él no haría eso…
Pero Sindo notaba que no le miraba a los
ojos. Le tendió el libro.

—¿Conoces a este oso?

—¡Es un cuento, Sindo, no es más que
un cuento! –se reía, sin ganas, Gumer.

—Sí, pero léelo…

Gumer cogió el libro sin ninguna gana,
pero lo abrió por la primera página.

Ñum-ñum vio los ojos de Gumer, el padre de Sindo, asomándose detrás de la pá-

gina. Conocía muy bien esos ojos, y verlos allí, sobre él, le hizo temblar, en el fondo de la jaula de Asqueburgo.

Pero luego se fue acercando a ellos. ¡Quería leer en los ojos de su cazador!

Intentó leer, pero no podía. Los ojos de los adultos no son tan tiernos y sinceros como los de los niños, o eso le pareció. Fuera como fuera, Ñum-ñum no podía leer en ellos. Ni siquiera podía mirar más tiempo aquellos ojos que le daban tanto miedo, que le traían tan malos recuerdos.

Entonces vio por detrás de ellos los ojos de Sindo, y se puso a leer en ellos, aliviado.

Papá está leyendo el libro. Dice que no con la cabeza, pero está muy serio.

Mamá se ha acercado también. Está mirando por encima del hombro de papá.

—Pobre osito –ha murmurado.

Papá se ha vuelto hacia ella.

—¿Tú también...?

Mamá se ha alejado. Yo me he sentado en la silla, enfrente de papá.

—Papá. Papá.

—¿Qué?

Entonces he visto que de sus ojos caía una lágrima. Se la iba a secar con la manga, pero se lo he impedido, agarrándole del brazo. He abierto el libro y he gritado:

—¡Ñum-ñum, Ñum-ñum! ¡Mira!

Ñum-ñum miró hacia arriba, entre los barrotes de su jaula de Asqueburgo y por detrás de los ojos de Sindo. Allí estaban los ojos de Gumer. De sus ojos caían lágrimas, despacio. Sus ojos, ablandados por las lágrimas, ya no eran tan duros como antes. Ñum-ñum hizo un esfuerzo de concentración y, por fin, pudo leer el pensamiento del padre de Sindo.

9 MESES MÁS TARDE,

a Ñum-ñum lo metieron en un camión. El viaje fue largo, pero a su lado había una mujer que le decía cosas tranquilizadoras. Sindo no podía entender lo que decía. En realidad, sólo entendía a los humanos cuando leía sus ojos. Durante meses había seguido leyendo niños en su jaula de Asqueburgo. De vez en cuando era Sindo el que abría el cuento, y los dos charlaban durante horas. Por fin, un día Sindo le había dicho:

—Ñum-ñum, creo que papá lo ha conseguido.

—¿El qué?

—No quiero decirte nada hasta que sea verdad.

Ahora, en el camión en el que lo habían sacado del zoo de Asqueburgo, Ñum-ñum miraba tras los barrotes. De pronto, vio las páginas abriéndose y unos ojos.

—¡Sindo!

Ñum-ñum leyó en los ojos de su amigo que nada había sido fácil desde que aquel día, en la cocina, Ñum-ñum y Gumer habían entrado en contacto. Lo primero que hizo Gumer fue denunciarse a sí mismo. Como era algo tan raro que alguien se denunciara a sí mismo, la multa no fue muy grande. Además de pagar la multa, tuvo que devolver el dinero que le habían pagado por el osezno.

Luego, una asociación se había dedicado

a seguir el rastro de Ñum-ñum por todo el mundo, hasta que apareció en el zoo de Asqueburgo. Lo demás había sido largo y difícil, con muchas negociaciones internacionales, pero al final todo estaba arreglado.

Esta historia acaba una mañana de junio. Han pasado tres años desde que, en esta misma ladera del Pico Escalera, alguien cazó un osezno.

Ahora hay un vehículo parado en el linde del bosque. Cerca, en otro coche, hay varios hombres, una mujer y un niño.

Alguien abre la puerta trasera del vehículo, del que asoma una cabeza oscura. No es ya un osezno, sino un señor oso. Baja por la rampa con cuidado, oliendo a su alrededor.

Las orejas se le ponen tiesas y emite un rugido hondo.

Todos guardan silencio. Hasta los pájaros han dejado de piar.

Del bosque llega otro rugido, lejano.

La gente, dentro del coche, se estremece. Se toman las manos, pero guardan silencio.

El oso se aleja del vehículo hacia el bosque.

En el último momento, vuelve la cabeza.

Tal vez busca, en el aire, unos ojos.

Los tuyos.

EL BARCO DE VAPOR

SERIE AZUL (a partir de 7 años)